Ma nouvelle

Kirsten Hall

Illustrations de Gerardo Suzan

Texte français de Laurence Baulande

Éditions
SCHOLASTIC

Catalogage avant publication de Bibliothèque et Archives Canada

Hall, Kirsten
Ma nouvelle ville / Kirsten Hall; illustrations de Gerardo Suzan;
texte français de Laurence Baulande.

(Je veux lire)
Traduction de : My New Town.
Niveau d'intérêt selon l'âge : Pour les 3-6 ans.
ISBN 0-439-94202-0

I. Suzan, Gerardo, 1962- II. Baulande, Laurence III. Titre.
IV. Collection : Je veux lire (Toronto, Ont.)

PZ23.H3385Ma 2006   j813'.54   C2006-902964-4

Édition publiée par les Éditions Scholastic, 604, rue King Ouest, Toronto (Ontario) M5V 1E1.

5 4 3 2 1   Imprimé au Canada   06 07 08 09

Note à l'intention des parents et des enseignants

Dès que l'enfant sait reconnaître les 58 mots utilisés
pour raconter cette histoire, il peut lire le livre en entier.
Ces 58 mots apparaissent tout au long de l'histoire pour que
les jeunes lecteurs puissent facilement les retrouver
et comprendre leur signification.

à	dentiste	le	petite
accrocher	dents	les	police
agent	donne	lui	polies
allons	elle	ma	que
année	enseignante	maintenant	sœur
apporte	est	me	sont
argent	et	mes	temps
bien	facteur	mon	tous
cette	grâce	nous	travaille
cheveux	habite	nouveau	viens
coiffeur	ici	nouvel	vient
coupe	il	nouvelle	ville
courrier	je	nuit	voici
de	jouer	par	
déménager	jour	peinture	

Voici ma nouvelle ville.

Je viens de déménager.

Voici ma nouvelle enseignante.

C'est ma peinture
qu'elle vient d'accrocher.

Voici mon nouvel
agent de police.

Il travaille jour et nuit.

Voici ma nouvelle dentiste.

Grâce à elle,
mes dents sont bien polies.

Voici mon nouveau coiffeur.

Il me coupe les cheveux.

Je lui donne de l'argent!

Voici mon nouveau facteur.

23

Il m'apporte le courrier
par tous les temps.

Voici ma nouvelle petite sœur.

C'est ici que nous allons jouer.

Voici ma nouvelle ville.

C'est ici que j'habite maintenant.

JE VEUX LIRE

Des monstres!

Il faut ranger

Je choisis un ami

Je sais lire

Je suis le roi!

Je suis malade

Je suis une princesse

Le nouveau bébé

Ma citrouille

Ma nouvelle ville

Mes camions

Mon gâteau d'anniversaire